Gerhard Braun
Johannes Fischer

Die Blockflöte – ein Lehrwerk für Anfänger und Fortgeschrittene
The Recorder – a Tutor for Beginners and Advanced Players

Spielbuch 1
Play-Book 1

Spielstücke für Sopranblockflöte solo
vom Mittelalter bis zur Gegenwart
(leicht bis mittelschwer)

Pieces for solo soprano recorder
from the middle ages to the present day
(easy to medium-hard)

Sy. 2614

Vorwort

Die Blockflöte ist eines der ältesten Musikinstrumente der Menschheit überhaupt. In der Frühzeit schon in Sagen und Bildzeugnissen lebendig, begleitet sie die abendländische Musikgeschichte bis zur Avantgarde.
Die Sopranblockflöte in c" ist heute für viele Kinder und Jugendliche ein beliebtes *Einstiegsinstrument*. Der vorliegende 1. Band unseres Spielbuches bietet leichte bis mittelschwere Musikbeispiele für den Unterricht vom Mittelalter bis zur Gegenwart, wobei im Hinblick auf den Tonumfang das a"' nur in Einzelfällen überschritten wird.
Die Flöte der mittelalterlichen Spielleute war vermutlich ein weitgehend zylindrisch gebohrtes Instrument in Sopran- und Altlage. Eine in Dordrecht (Holland) gefundene Blockflöte aus dem 14. Jahrhundert ist wohl das älteste erhaltene Instrument dieser Art. Die Musik dieser Zeit wurde weitgehend improvisiert und nur gelegentlich von Mönchen aufgezeichnet.
Neben den weitmensurierten und besonders für das Ensemblespiel geeigneten Blockflöten der Renaissance scheint es am Ende dieser Stilepoche aber auch ein enger gebohrtes und für das solistische Spiel geeignetes Instrument gegeben zu haben, auf das Sylvestro Ganassi (in der ersten Blockflötenschule „*Opera Intitulata Fontegara*") Bezug nimmt. Die „*Hand-fluit*" des Jacob van Eyck gehört ebenfalls noch zum Typus der Renaissanceblockflöten. Liedvariationen und Tanzfolgen aus verschiedenen Sammlungen bieten neben den (als Übungsstücke gedachten) Ricercaten von Bassano und Virgiliano hier das entsprechende Spielmaterial.
Das beherrschende Instrument des Hochbarock war dann die Altblockflöte. Es gab aber Nebenformen wie die „*Flute du quatre*" (Sopranflöte in b'), die „*Fifth Flute*" (Sopran in c") und die „*Sixth Flute*" (Sopran in d"). Zeitgenössische Bearbeitungen von Opernmelodien für die verwandten Instrumente „*Czacan*" und „*Flageolett*" führen uns dann vom Hochbarock bis ins 19. Jahrhundert.
Das 20. Jahrhundert bringt für das „wiederentdeckte" Instrument verschiedene „Spielarten", die von Volksliedbearbeitungen und -variationen über Stücke mit Jazzanklängen bis zu Werken mit Verwendung avantgardistischer Spieltechniken reichen.

Stuttgart, Januar 1997 — Gerhard Braun

Preface

The recorder is one of the oldest of all human instruments. In ancient times it crops up in sagas and pictorial evidence, and it has accompanied Western music right up to the avant-garde.
For many children and young people today, the soprano recorder in c" is a popular *starting instrument*. This 1st volume of our Play-Book offers easy to medium-hard musical examples for teaching music from the middle ages to the present day; in terms of range, it only rarely goes above a"'.
For players in the middle ages, the flute was presumably a mainly cylindrically bored instrument in the soprano and alto ranges. A recorder from the 14th century, found in Dordrecht (Holland), is thought to be the oldest surviving instrument of this kind. The music of this era was largely improvised, and only occasionally written down by monks.
Alongside the wide-bore recorders of the renaissance, which were particularly suited to ensemble playing, at the end of this stylistic era there also seems to have been a more narrow-bored instrument intended for solo performance, and this is what Sylvestro Ganassi refers to (in the first recorder tutor "*Opera Intitulata Fontegara*"). The "*Hand-fluit*" of Jacob van Eyck is also typical of renaissance recorders. The corresponding repertoire here comes from variations on songs and dance sequences from various collections, as well as ricercata by Bassano and Virgiliano (conceived as practice pieces).
The predominant instrument of the high baroque was the alto recorder. But there were secondary types such as the "*Flute du quatre*" (soprano recorder in b flat'), the "*Fifth Flute*" (soprano in c") and the "*Sixth Flute*" (soprano in d"). Contemporary arrangements of operatic melodies for two related instruments – "*czacan*" and "*flageolet*" – take us from the high baroque into the 19th century.
The 20th century has devised various 'playing styles' for the 'rediscovered' instrument, ranging from folksong arrangements, via pieces with allusions to jazz, to works employing avant-garde playing techniques.

Stuttgart, January 1997 — Gerhard Braun

Inhalt

MITTELALTERLICHE SPIELMANNSMUSIK

Sumer is icumen in

14. Jh., England

Winter wie ist nu dein Kraft

Neithart von Reuenthal
13. Jh., England

Tanz

vor 1325

Spielmannslied

Hermann, dem Mönch zu Salzburg zugeschrieben
(14. Jh.)

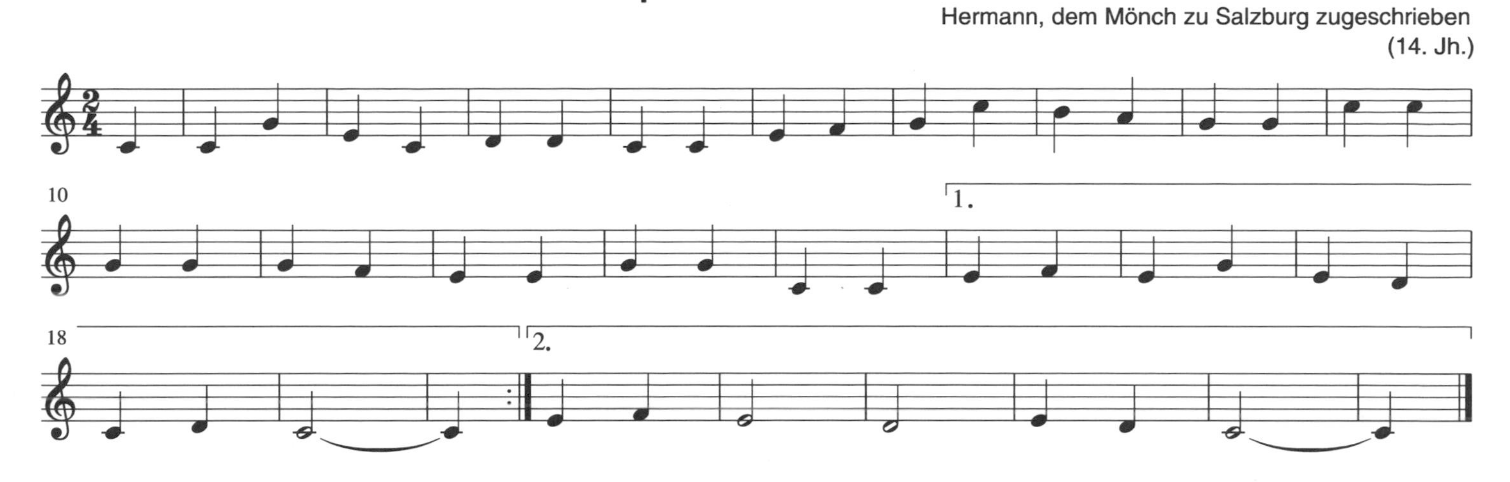

La Manfredina

um 1400

La Rotta della Manfredina

Aus: DER FLÖTEN-LUSTHOF

Vande Lombart

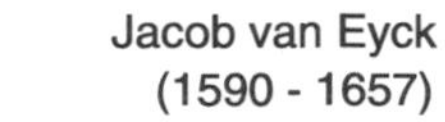

Jacob van Eyck
(1590 - 1657)

Modo 2

Wat zalmen op den Avond doen

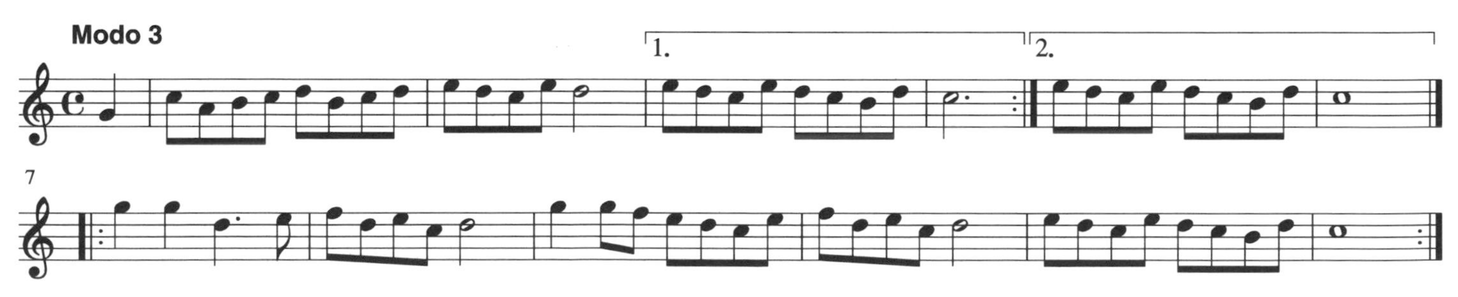

La Bergere

Modo 2

Onder de Linde groene

Modo 2

Modo 3
6
12
18
23
28
Sarabande
Modo 2
Noch een veranderingh
Modo 3

ARIEN UND CORRENTEN

Aria prima

Marco Uccellini
(1603 - 1680)

Corrente decima sesta

Corrente decima settima

Corrente decima ottava

TUITNEMENT KABINET

(1646 - 1649)

Object dont les charmes

Anonymus

T'KONSTIGH SPEELTOONEEL
(1657 - 1660)
De Gans op zijn boers
Pieter Meyer
Variation
Brande Novo Castro
1.
2.
Variation
1.
2.

La Chasse

Ick zal't jou Moertje zeggen

La Sisson

SECHS ALTENGLISCHE KONTRATÄNZE

aus: "The English Dancing Master"

IV.
(𝅗𝅥 = 144)
1.
2.
V.
(𝅗𝅥 = 126)
VI.
(♩. = 120)

COUNTRY DANCES
(1715)

Love in a Bottle

Allegretto

Brisk and Airy

Allegro

Mad Robin

Allegretto, ma poco

Emperor of the Moon

Andante e staccato

Edition RICORDI

Sy. 2614

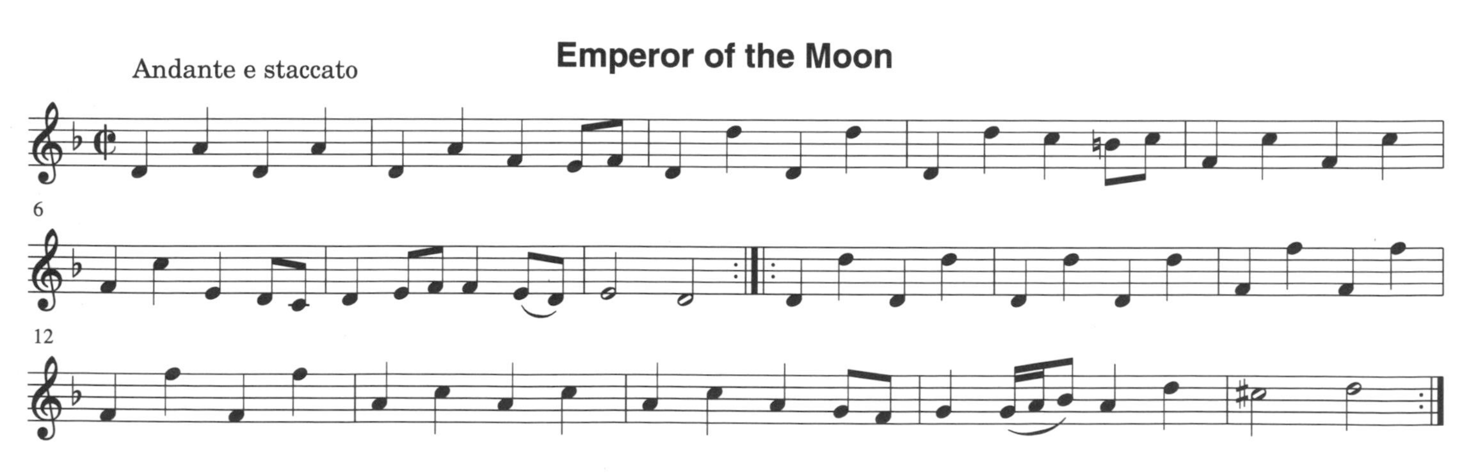

St. Martins Lane
Allegretto
Madam Betty
Tempo di Gavotta
Over the Hills and Far away
Allegro

TÄNZE FÜR SOPRANBLOCKFLÖTE

aus: Neue und Curieuse Theatralische Tantz-Schul (1716)

Paysane/Bauerntanz

Rescue/Tanz der alten Weiber

Fabri/Tanz der beiden Schmiede

Edition RICORDI

Sy. 2614

Salt'in Muro/Springtanz
9
Turco con Tampurino/Tanz der Türken mit dem Tambourin
9
Micarena/Tanz der maskierten Geister und Hexen
6
11
Desegnio Furia/Furioso
6
12
Nouelle Fantastiche
7
(♭)
12

DREI TANZSTÜCKE

aus: "Directions for Playing on the Flute"
(London 1735)
Peter Prelleur

March

Minuet

Minuet

DREI MÄRSCHE FÜR SOPRANBLOCKFLÖTE

Marsch

aus der Oper: "Scipione"

Georg Friedrich Händel
(1685 - 1759)

Marsch

aus der Oper: "Judas Maccabaeus"

Marsch

aus der Oper: "Tolomeo"

ENGLISCHE WEISEN

aus: "The Compleat Tutor for the Flute"
(1760)

Come Mortals come, come follow me

Foots Minuet

Lord Mark Kerr's Minuet

Fine

D.C. al Fine

Little do the Landmen know
Hessian Dance
The Duke of Marlbourough's March

DIE ZAUBERFLÖTE

Wolfgang Amadeus Mozart
(1756 - 1791)
Bearb.: Johannes Fischer
Ein Vogelfänger bin ich ja
Andante
7
13
17
Das klinget so herrlich
Andante
7
12

In diesen heiligen Hallen
Larghetto
6
11
16
21

Ein Mädchen oder Weibchen

1) Die kleingestochenen Noten können ad lib. gespielt werden.

Klinget, Glöckchen, klinget!

ARIEN UND TÄNZE AUS OPERN

arrangée pour le flageolet

Allemande

Anonymus
(1.Hälfte des 19. Jahrhunderts)

Valse

Air

Allemande Nouvelle

SIEBEN GANZ LEICHTE STÜCKE

Aus: Neue Musik für Blockflöte
Spielbuch für Sopranblockflöte (CV 11.112)

SECHS SPIELSTÜCKE

II.

𝅗𝅥. = 60

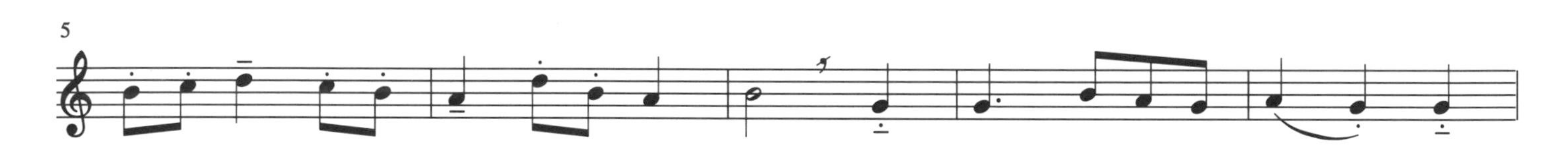

III.

♩ = 112

IV.

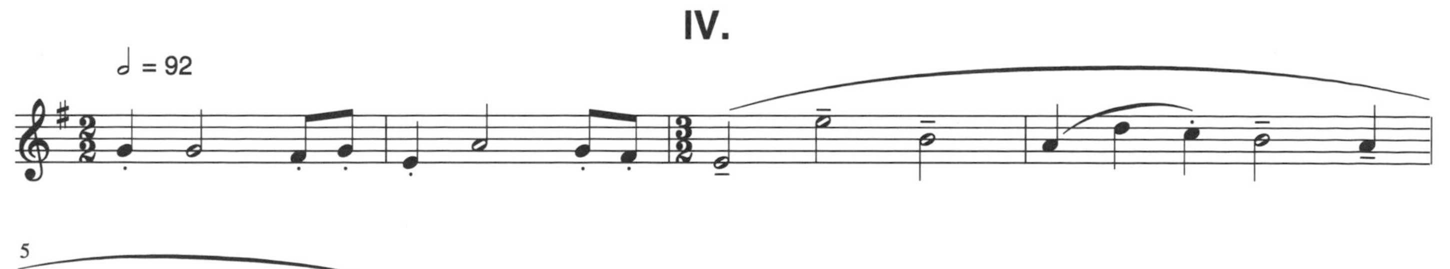

V.

VI.

ACHT LEICHTE STÜCKE FÜR SOPRANBLOCKFLÖTE

...die hast du ganz gestohlen

Viktor Fortin
(* 1936)

Lustig in Moll
♩. = 112
8
16
22
29
36
Welches Männlein?
9
18
27
36
45

Der Melodie-Versetzer

Gänschen klein

Jäger mit der Flöte

... verirrten sich im Wald

THREE SONGS FOR SOPRANO RECORDER

RECORDER MUSIC 1 - 6

Alle Stücke: ♫ = ♩♪ (Jazz inegal)

III.

Christopher Dell
(* 1965)

flattement

IV.
6
10
14
V.
5
Fine
VI.

6
1.
2.
Flzg.

FÜNF LEICHTE STÜCKE
Meditation
Gerhard Braun
(* 1932)
1 sec.
molto rubato
aus: Tanzstücke und Meditationen
© 1986 by Heinrichshofen's Verlag,
Wilhelmshaven
Tanz
= 126
5
aus: Tanzstücke und Meditationen
© 1986 by Heinrichshofen's Verlag,
Wilhelmshaven
Bordun
1 sec.
p *
espressivo
p
espressivo
p
f
p
p
⊙ = Summton d'
* Summton und Flötenton möglichst in gleicher Lautstärke
aus: Tanzstücke und Meditationen
© 1986 by Heinrichshofen's Verlag,
Wilhelmshaven
2 Choräle
frei schwingend (ca. 84)
Edition RICORDI
Sy. 2614
© 1997 by G.Ricordi & Co., München

Rhythmisches Duo

1) Bei der linken Blockflöte (Notenhälse nach unten) ist das 5. und 6. vordere Griffloch mit Tesafilm überklebt.

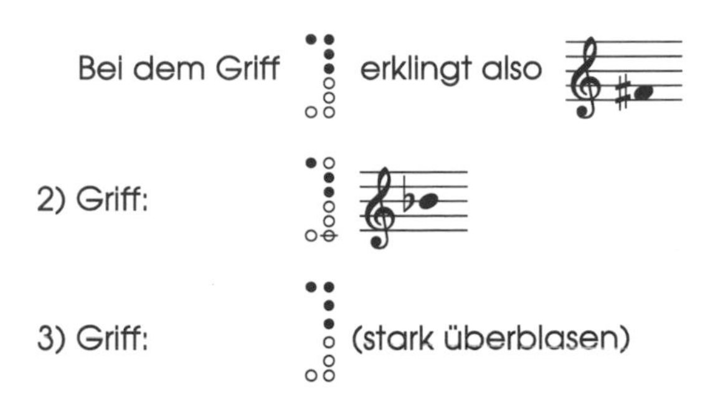

Bei dem Griff erklingt also

2) Griff:

3) Griff: (stark überblasen)

FÜNF LEICHTE STÜCKE FÜR SOPRANBLOCKFLÖTE

Lied mit Zwischenspielen

Hans-Martin Linde
(* 1930)

Heiter schwebend

Herbstlied
♩ = ca. 76
Dynamisch frei gestalten (pp bis mf)
Hingetupft
♩ = ca. 102
p
mf
f

